Onde está a bruxa?

Coordenação editorial	Adilson Miguel
Editora assistente	Gislene de Oliveira
Revisão	Lilian Ribeiro de Oliveira
ARTE	
Edição de arte	Marisa Iniesta Martin
Projeto gráfico de capa e miolo	aeroestúdio
Diagramação	Fábio Cavalcante

editora scipione

Avenida das Nações Unidas, 7221
CEP 05425-902 – São Paulo – SP
ATENDIMENTO AO CLIENTE
Tel.: 4003-3061
www.scipione.com.br
e-mail: atendimento@scipione.com.br

2017

ISBN 978-85-262-8725-9 – AL
ISBN 978-85-262-8726-6 – PR

Código do livro CL: 737932

CAE: 267206 AL

1.ª EDIÇÃO
5.ª impressão

Impressão e acabamento
Corprint Gráfica e Editora Ltda

DADOS INTERNACIONAIS DE CATALOGAÇÃO NA PUBLICAÇÃO (CIP)
(CÂMARA BRASILEIRA DO LIVRO, SP, BRASIL)

Brenman, Ilan
Onde está a bruxa? / Ilan Brenman; ilustrações de Evelyn Daviddi. – São Paulo: Scipione, 2012.
(Coleção Cubo Mágico)

1. Ficção – Literatura infantojuvenil I. Daviddi, Evelyn. II. Título. III. Série.

11-14470 CDD-028.5

Índices para catálogo sistemático:

1. Ficção: Literatura infantil 028.5
2. Ficção: Literatura infantojuvenil 028.5

MISTO
Papel produzido a partir de fontes responsáveis
FSC® C137933
FSC www.fsc.org

Este livro foi composto em Bell Gothic Std
e impresso em papel Couché 115g/m².

Onde está a bruxa?

Ilan Brenman

Ilustrações de Evelyn Daviddi

editora scipione

Acorde de manhã, **olhe para os lados,**
observe bem o seu quarto. Se ela não estiver por perto,
corra ao banheiro fazer xixi e escovar os dentes, é o certo.

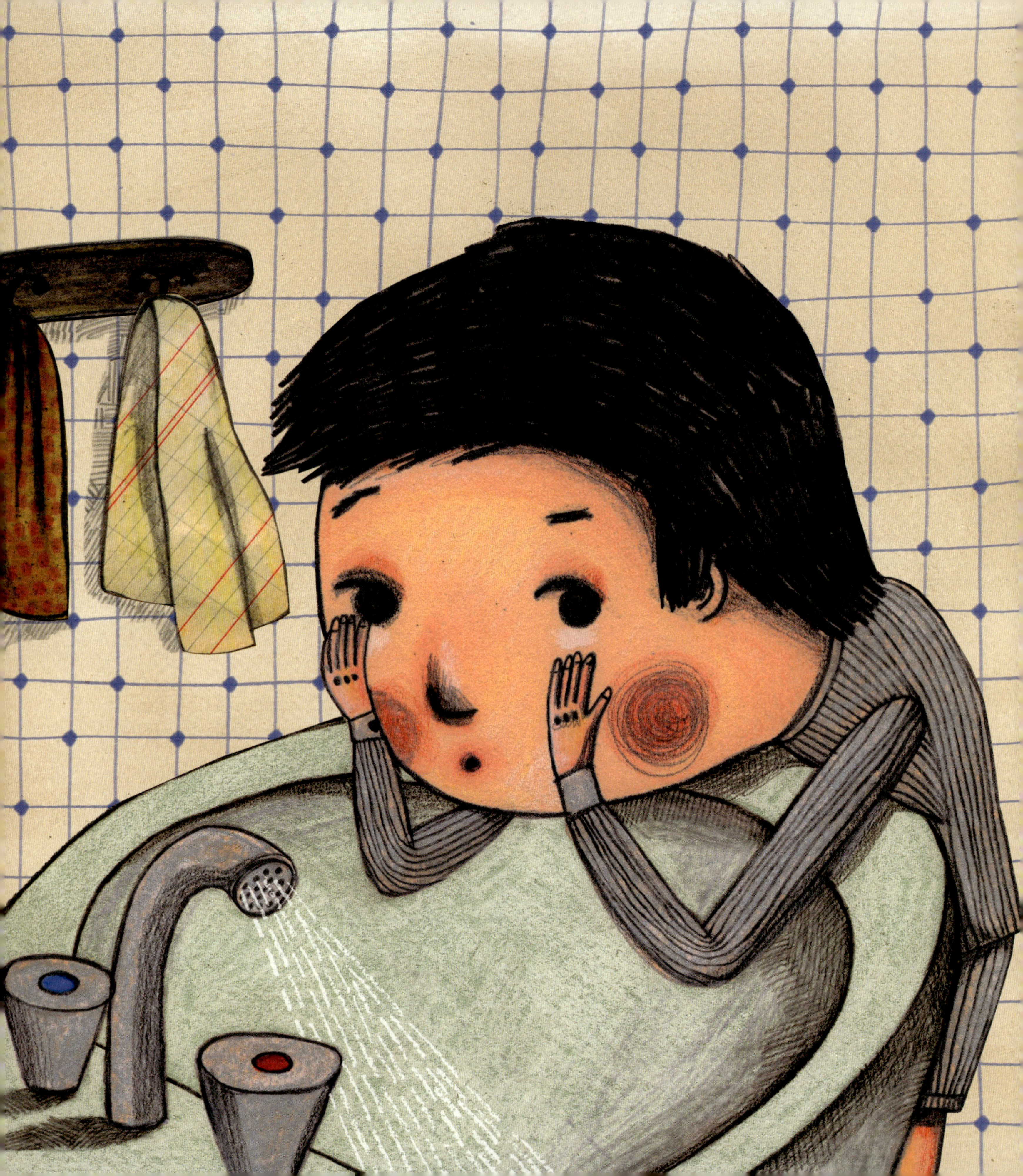

Na hora de fazer xixi e escovar os dentes,

atenção: bruxas não gostam de limpeza,

mas nunca se sabe, elas são pura malvadeza.

R.W. RANDALL
LIMITED
V.B.
LEITE
ST. JULIAN'S AVENUE
GUERNSEY.

Depois de trocar o pijama e colocar aquela roupa bonita que você gosta,

café da manhã!

Bruxas adoram torradas de geleia de sapo, espero que você não esteja comendo isso com

jenipapo.

Com a barriga cheia,
é hora de brincar com os
amigos no parquinho.

Não se **descuide** nessa hora,
as bruxas gostam de se
disfarçar de animais fofinhos
para atrair as crianças e levá-las embora.

Antes da escola, lavar as mãos e almoço!
Espero que o prato principal não seja
macarrão com taturana!
As bruxas amam essa iguaria com molho de ratazana!

Nunca ouvi falar de bruxas com
uniforme escolar,
mas elas sempre nos surpreendem,
cuidado ao estudar!

Voltar para casa parece uma tranquilidade, bruxas voam nas suas vassouras.

Será que elas entrariam numa *van* escolar comendo

cenouras?

Chegar em casa é uma delícia. Até agora nada de chamar a polícia.

Na hora do banho com certeza ela não estará. Todos sabem do bafafá: ela **fede** mais do que pum de maracajá.*

*Maracajá é uma espécie de gato selvagem.

No jantar, nada de arroz de **piolho!**
Uma bruxa daria seu caldeirão de
presente por esse prato delicioso com repolho.

Depois de brincar com os pais, hora de ir pra cama. Antes, xixi e escovar os dentes. Desde a manhã não apareceu ninguém. Será que depois **ela vem?**

Na hora da história, o fim do dia se aproxima.
Até agora nem sinal dela, talvez já esteja lá na

China.

CHINA

愛富壽

Arquivo pessoal

O autor

Nasci num lugar tão longe do Brasil que até as bruxas se perdiam para chegar lá: o nome da cidade é Kfar Sava, o país, Israel. Em 1979 cheguei a São Paulo e conheci muitas histórias bruxalescas por aqui. Cresci, fiz Psicologia, depois mestrado e doutorado na USP, mas o que mais gosto mesmo é de inventar histórias. Hoje tenho mais de quarenta livros publicados, muitos premiados e alguns traduzidos no exterior. Para saber mais sobre mim visite: www.ilan.com.br. ■

Arquivo pessoal

A ilustradora

Moro e trabalho na ilha italiana de Capri, Modena. Depois de me formar em Ilustração pelo Instituto Europeu de *Design* em Milão, em 1997, comecei a ilustrar livros para editoras italianas e estrangeiras. Trabalho também com animação 2D, moda, campanhas sociais e revistas. Participei da Mostra Ilustradores, na Feira do Livro Infantil de Bolonha, da Bienal dos Jovens Artistas da Europa, da Mostra Imagens da Fantasia, em Sarmede, e de muitos outros eventos. Desde 2009, dou aulas de Ilustração Criativa na Escola Internacional de Quadrinhos, em Reggio Emília. ■